Avant la Quête

LA QUÊTE DE L'OISEAU DU TEMPS

2. le grimoire des dieux

scénario : Le Tendre et Loisel
mise en scène, direction graphique : Loisel
dessin : Aouamri
couleur : Lapierre

DARGAUD
PARIS • BARCELONE • BRUXELLES • LAUSANNE • LONDRES • MONTREAL • NEW YORK • STUTTGART

Remerciements à François Le Bescond et au studio Dargaud.
S. L. T.

À l'ami Lidwine.
R. L.

www.dargaud.com

PREMIÈRE ÉDITION

Dépôt légal : novembre 2007 • ISBN 978-2205-05633-4
Printed in France by PPO Graphic, 91120 Palaiseau

C'ÉTAIT UN BIEN TRISTE JOUR QUI S'ACHEVAIT SUR LA **MARCHE DES MILLE VERTS**...
LA DÉPOUILLE D'UN DE SES PLUS NOBLES ENFANTS REPOSAIT DANS LA TERRE NOURRICIÈRE...
IL AVAIT ÉTÉ SAUVAGEMENT ASSASSINÉ DEUX JOURS AUPARAVANT PAR UN DÉMENT.
QU'ALLEZ-VOUS FAIRE MAINTENANT QUE VOTRE FILS EST ENTERRÉ, PRINCE ?..
GRÂCE AUX DIEUX, IL ME RESTE ENCORE SON JEUNE FRÈRE... C'EST LUI QUI ME SUCCÉDERA DÉSORMAIS... TOUT REPOSE SUR SES ÉPAULES.
HÉLAS, IL A ENCORE TANT À APPRENDRE.

JE VOUS COMPRENDS, MON AMI.
MA FILLE AUSSI N'EST PAS ENCORE PRÊTE POUR CETTE LOURDE TÂCHE...
TS-SS !.. VOUS CROYEZ QUE C'EST LE MOMENT, **BODIAS** ?!

OH, VOUS SAVEZ, MON FRÈRE ET MOI, NOUS N'ÉTIONS PAS TRÈS PROCHES... GROSSE DIFFÉRENCE D'ÂGE... ALORS QUE NOUS DEUX...
... NOUS NOUS VOYONS SI PEU SOUVENT, **MARA**...
BIENTÔT, JE N'AURAI PLUS LE TEMPS... LA SUCCESSION DE MON FRÈRE APPROCHE. JE VAIS AVOIR DES JOURNÉES INFERNALES.
ON VA ME FAIRE ÉTUDIER JOUR ET NUIT...

ALLEZ, MARA... UN BON MOUVEMENT !
L'OCCASION EST UNIQUE. VOUS NE SEREZ PAS DÉÇUE...

ACCORDEZ-MOI SEULEMENT UNE JOURNÉE ET JE VOUS FAIS VISITER TOUS LES RECOINS DE MA MARCHE... LES VALLONS SECRETS... LES NICHES DE VERDURE... LES SENTEURS ENIVRANTES... DU ROMANTISME À L'ÉTAT PUR !.. VOUS ALLEZ AIMER !..
GARDEZ VOS DISTANCES, BODIAS !..

UN PROBLÈME, **MARA** ?..

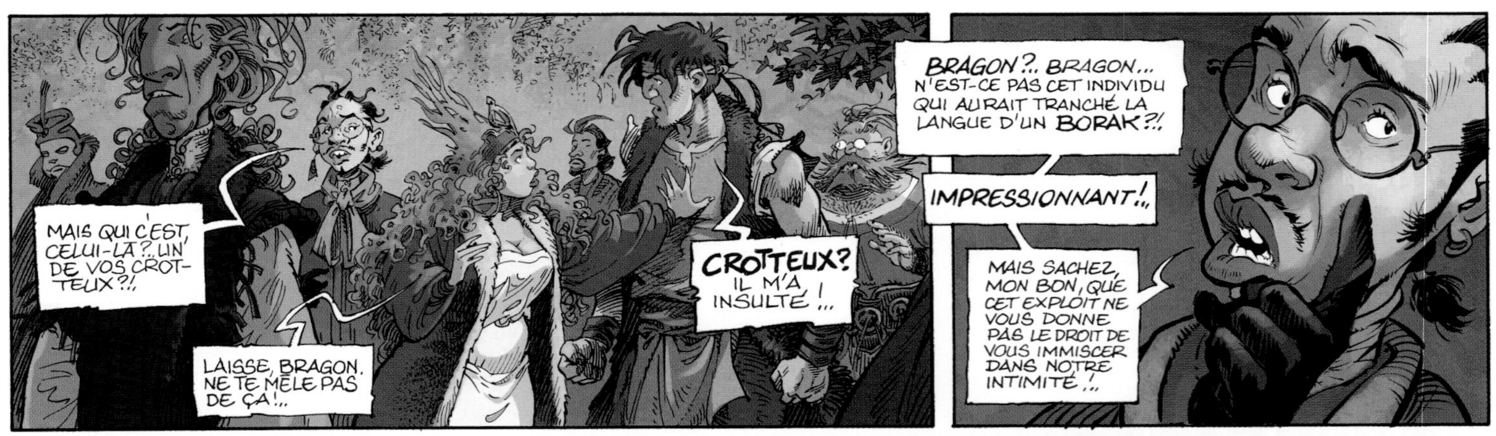
MAIS QUI C'EST, CELUI-LÀ?.. UN DE VOS CROTTEUX?!.
LAISSE, BRAGON. NE TE MÊLE PAS DE ÇA!..
CROTTEUX? IL M'A INSULTÉ!..
BRAGON?.. BRAGON... N'EST-CE PAS CET INDIVIDU QUI AURAIT TRANCHÉ LA LANGUE D'UN BORAK?!.
IMPRESSIONNANT!.
MAIS SACHEZ, MON BON, QUE CET EXPLOIT NE VOUS DONNE PAS LE DROIT DE VOUS IMMISCER DANS NOTRE INTIMITÉ!..

BODIAS A RAISON, BRAGON... TU DOIS RESTER À TA PLACE! C'EST AINSI...
N'EN FAIS PAS UN CAPRICE!
CALME...

RESPIRE, BRAGON...
BIEN PARLÉ, MARA... J'APPRÉCIE... IL FAUT SAVOIR FAIRE PREUVE D'AUTORITÉ AVEC CES GENS-LÀ!..
HÉROS PEUT-ÊTRE, MAIS...

CESSEZ VOS ENFANTILLAGES! C'EST RIDICULE...
D'AILLEURS, RAPPELLE-TOI, BRAGON... CERTAINS DE NOS CAPRICES ONT PARFOIS DES CONSÉQUENCES DOULOUREUSES.
NOTRE AMI JAVIN EN A EU LA CUISANTE EXPÉRIENCE...

N'EST-CE PAS, MARA?

DE QUOI PARLE VOTRE COUSIN, MARA?..
AH, VOUS, FICHEZ-MOI LA PAIX!..

C'EST VRAI ?.. TU ES SÛR ?!

OUI, VOTRE ALTESSE, C'EST BIEN CE DESSIN-LÀ...
LE DÉMENT AVAIT LE MÊME TATOUÉ SUR SA POITRINE... J'AI EU LE TEMPS DE LE VOIR AVANT QUE LA FOULE LE LAPIDE...

MERCI... TU PEUX TE RETIRER, MON GARÇON.

PRINCES, JE NE SAIS QUE PENSER...
ET VOUS, HUMOUN ?
LES CIRCONSTANCES DE CE TERRIBLE DRAME SONT ÉTRANGES... TROUBLANTES MÊME...
IL Y A PEU DE TEMPS, UN FOU A TENTÉ DE S'EN PRENDRE À MA FILLE ET À MOI !.. ON A DÉCOUVERT AUSSI DES CADAVRES SUR MES TERRES...
ET TOUS PORTAIENT LE MÊME TATOUAGE !..

AVEZ-VOUS DÉJÀ ENTENDU PARLER DE "L'ORDRE DU SIGNE" ?...
JAMAIS...
C'EST TROUBLANT. QUEL EST SON BUT ?
QUI SONT SES CHEFS ?

AUCUNE IDÉE, TOUT CE QUE JE SAIS, C'EST QUE SES RAMIFICATIONS SEMBLENT S'ÉTENDRE UN PEU PARTOUT...
PAS CHEZ MOI !..
HM... QUE CONSEILLEZ-VOUS DE FAIRE, PRINCE HUMOUN ?..
RENTRONS TOUS CHEZ NOUS MES AMIS, ET RESTONS VIGILANTS !.. TRÈS VIGILANTS !
3

OH-OH, IL SE DÉFEND BIEN, LE BOUGRE !
KLING !
C'EST PLUS DE LA DÉFENSE, C'EST DE L'ATTAQUE !

KLANG !

CLAC

MORT !..

JOLI COUP !
L'ÉLÈVE A DÉPASSÉ LE MAÎTRE !
D'OÙ SORS-TU CE COUP-LÀ, BRAGON, JE N'AI RIEN VU VENIR !?
BAH ! PEUT-ÊTRE QUE TU TE FAIS VIEUX...

ÇA, C'EST DÉLOYAL, MAIS TU AS RAISON !.. JE SUIS SÛR QUE TU SERAIS RAVI DE PRENDRE MA PLACE... MOI, JE N'AI PLUS RIEN À T'APPRENDRE, HEIN ?!

À TOI LES HONNEURS !
ET LES FEMMES !..
TU DEVRAIS Y SONGER, BRAGON. TU TE RENDS COMPTE ?.. TOI QUI RÊVES DE RESPECTABILITÉ DEPUIS SI LONGTEMPS...
"MAÎTRE BRAGON" !.. HÉ, ÇA SONNE BIEN !..
PEUT-ÊTRE QUE CE RÔLE N'EST PAS POUR BRAGON, COUSINE... SES AMBITIONS SONT AILLEURS...

MORANGE, TU ES INJUSTE !
POUR UNE FOIS QUE BRAGON A LA CHANCE DE S'ÉLEVER !.. QUE PEUT-IL RÊVER DE MIEUX QU'ÊTRE À LA TÊTE DE LA PROTECTION DES PRINCES-SORCIERS?

ET DES PRINCESSES-SORCIÈRES, SANS DOUTE?

NON. MARA, MORANGE A RAISON !
CE N'EST PAS MA PLACE...

THÂ... LA CITÉ DE LA MARCHE DES VOILES D'ÉCUME...

BRAGON!

J'AI BIEN RÉFLÉCHI. IL EST TEMPS POUR MOI DE PASSER LA MAIN...
JE TE REMERCIE, FRANGE. VENANT DE TOI, C'EST UN HONNEUR MAIS JE NE PEUX PAS ACCEPTER...

MARA, HEIN ?..

JE COMPRENDS, MAIS IL FAUT TE RÉSIGNER... C'EST UN COMBAT PERDU D'AVANCE.
JE SAIS. NOUS NE SOMMES PAS DU MÊME MONDE, ELLE ET MOI... ET TOI, TU FERAIS QUOI À MA PLACE ?..

5

MOI AUSSI, QUAND J'ÉTAIS JEUNE, J'AVAIS DES RÊVES... ET TU SAIS QUOI ?.. JE VOULAIS DEVENIR CHEVALIER...
ACCOMPLIR DES EXPLOITS... DÉFENDRE DE JUSTES CAUSES... ÊTRE RESPECTÉ ET CRAINT PARTOUT...
L'AMI DES PRINCES... LE CONFIDENT DES REINES ...
ET ALORS?

AS-TU JAMAIS ENTENDU PARLER DU RIGE?
LE RIGE?! MAIS C'EST PAS UNE LÉGENDE?
OH NON, MON GARÇON !.. J'AI RENCONTRÉ À CETTE ÉPOQUE QUELQU'UN QUI EN A CONSERVÉ UN DOULOUREUX SOUVENIR ...
... IL S'APPELAIT KANDOR...
LE PAUVRE, IL S'ÉTAIT CRU CAPABLE DE SUIVRE L'ENSEIGNEMENT DU RIGE... LUI AUSSI VOULAIT DEVENIR CHEVALIER...
OÙ EST-CE QU'ON LE TROUVE, CE RIGE ?..
LA DERNIÈRE FOIS QUE J'AI EU DES NOUVELLES DE CET HURLUBERLU, IL SE TROUVAIT INSTALLÉ À VAGUAMARE ET...
OUI MAIS LE RIGE?

!.. LE RIGE?
SEUL KANDOR POURRA TE RENSEIGNER !

À VAGUAMARE, TU AS DIT ?!..
C'EST ÇA, BRAGON ...

... VA JUSQU'AU BOUT DE TES RÊVES.

6

JE TE CHERCHAIS, MARA.
MORANGE ?.. QUE FAIS-TU DANS CET ACCOUTREMENT ?..

JE VIENS TE DIRE ADIEU... MOI AUSSI, JE PARS...

TOI ?! MAIS POURQUOI ?
TU SAIS, MARA, BRAGON, SANS LE SAVOIR, M'A OUVERT LES YEUX... CETTE NOBLESSE QU'IL N'A PAS DANS LE SANG, IL L'A DANS LE COEUR...

JE SAIS, COUSIN... JE SAIS... MAIS TOI, MORANGE ?

JE SUIS LAS DE TOUT ÇA... CETTE VIE OISIVE... SANS BUT... JE N'AI PLUS RIEN À ATTENDRE...

BRAGON, LUI, PART POUR CHERCHER À CONSOLIDER SON RÊVE...
...ET MOI POUR ME RETROUVER DANS UNE AUTRE RÉALITÉ...

ALORS TU L'ACCOMPAGNES ?
OUI. NOUS FERONS UN BOUT DE CHEMIN ENSEMBLE...

ET TOI, MARA... TU L'AIMES ?

VA, MORANGE... IL T'ATTEND...

UNE FOIS ENCORE BRAGON QUITTAIT UN ENDROIT CHER À SON COEUR...
MAIS PLUS RIEN DÉSORMAIS NE LE RETENAIT.

DEPUIS LA MORT DE SON AMI JAVIN, LE JEUNE HOMME N'ÉTAIT PLUS TOUT À FAIT LE MÊME...

IL ASPIRAIT À UNE RECONNAIS-SANCE DIGNE D'UN HÉROS...

ET LA RENOMMÉE DU RIGE NE LUI FAISAIT PAS PEUR!

UN JOUR, C'EST CERTAIN, LE CIEL D'AKBAR RÉSON-NERAIT DE SES EXPLOITS...

...DE SES HAUTS FAITS D'ARMES.

SON NOM SERAIT ALORS PRO-NONCÉ AVEC RESPECT PAR TOUS...
...Y COMPRIS PAR UNE CERTAINE PE-TITE PRINCESSE ARROGANTE!..

POUR L'HEURE, BRAGON AVAIT DIRIGÉ SON COMPAGNON VERS LES HAUTS PLATEAUX DU MÉDIR... LA FERME FAMILIALE...
...LÀ OÙ IL ÉTAIT NÉ...
...IL LUI SEMBLAIT QUE C'ÉTAIT IL Y A UN SIÈCLE...
MORANGE DEVAIT EMBRASSER SA MÈRE DE SA PART ET LA RASSURER.
BRAGON, LUI, AVAIT BESOIN D'ÊTRE SEUL.
8

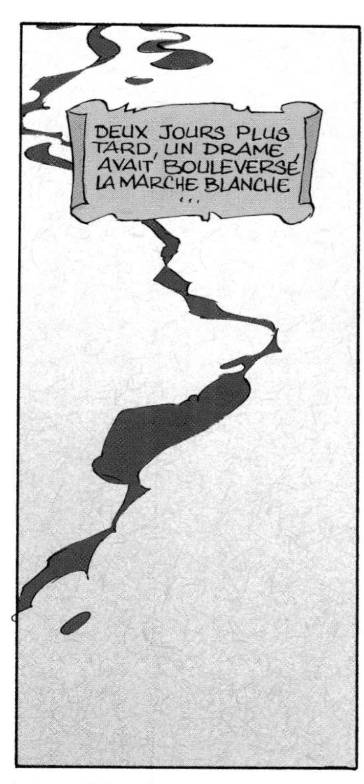
DEUX JOURS PLUS TARD, UN DRAME AVAIT BOULEVERSÉ LA MARCHE BLANCHE ...

THARMINE, LE PRINCE-SORCIER, VENAIT DE PERDRE SON JEUNE FILS.

LE CORPS AVAIT ÉTÉ RETROUVÉ DANS LE JARDIN DES PRIÈRES...
... ASSASSINÉ PAR TRAÎTRISE.

LE CRIME AVAIT EU LIEU AUX PREMIÈRES HEURES DU JOUR.

LES EMPREINTES DE PAS DU MEURTRIER ÉTAIENT ENCORE VISIBLES ...

HÉLAS, IL ÉTAIT TROP TARD POUR LE RATTRAPER.
LE PAYS DES SEPT MARCHES ÉTAIT À NOUVEAU EN DEUIL...

VAGUAMARE...
L'UNE DES PORTES DE LA CÔTE ORIENTALE DU CONTINENT...
C'ÉTAIT LÀ QUE SE CÔTOYAIENT LA PLUPART DES RACES D'AKBAR ...
MARCHANDS ET TRUANDS...
POÈTES ET TROUBLE-FÊTES

MORANGE AVAIT MIS BRAGON EN GARDE CONTRE LES PIÈGES DE LA CITÉ...

... IL LUI FALLAIT DONC ÊTRE PRUDENT ...
... CAR LES TENTATIONS NE MANQUAIENT PAS ...
... SURTOUT POUR UN HÉROS SOLITAIRE.
10

MILLE FURIES! TU VOULAIS ME VOLER !..
AÏE! C'EST PAS MOI !.. J'AI RIEN FAIT...

JE TE CONNAIS, TOI...
EUH...

SLAVON!
JAVIN!

JE SUIS TELLEMENT CONTENT DE TE REVOIR !.. ET TON CAMARADE BRAGON, QU'EST-CE QU'IL DEVIENT ?..
AH, ON A BIEN RIGOLÉ ENSEMBLE !..

MOI AUSSI J'AI RÉUSSI À M'ENFUIR !... TU T'SOUVIENS ?..
LE VIEUX DES BOIS... LES TARÉS DE LA SECTE...
EUH!

ÇA M'ÉTONNERAIT PAS QU'ILS NOUS CHERCHENT ENCORE, AH, AH !..

MAIS ET TOI... RACONTE !..
...TU VIENS FAIRE QUOI À VAGUAMARE ?
BEN...

TATA-TATA !.. PLUS UN MOT! TU VAS ME RACONTER TOUT ÇA DEVANT UNE CHOPE, MON AMI !..
JE SUIS SÛR QUE TA BOURSE EST ASSEZ PLEINE HA! HA!..
SACRÉ JAVIN !..
12

QUOI ?.. BRA... JAVIN EST MORT !?

PAUVRE GARÇON ! JE SUIS VRAIMENT DÉSOLÉ !...

POUR REVENIR À TON BONHOMME... KANDOR... JE CROIS SAVOIR OÙ LE TROUVER...

TU EN PRENDRAS BIEN UNE AUTRE JA... BRAGON ?..

C'EST PAS TOUT ÇA, MAIS T'AS PAS DE QUOI TE LOGER, JE SUPPOSE ! PAS DE PROBLÈME !...
ON VA VENDRE TA MONTURE... JE M'OCCUPE DE TOUT... ON PEUT EN TIRER DE QUOI VIVRE AU MOINS DIX JOURS TOUS LES DEUX !...

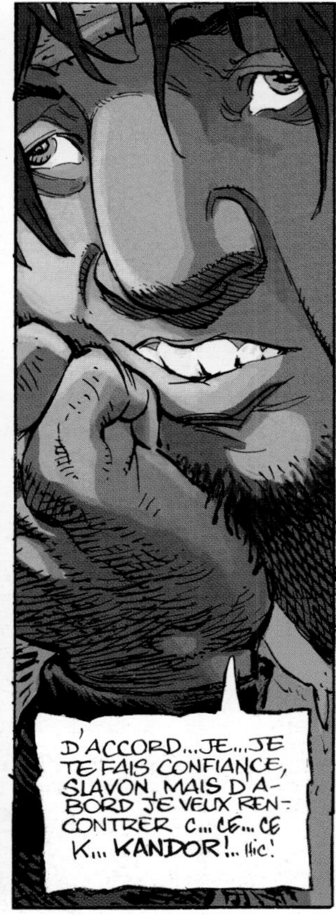
D'ACCORD... JE... JE TE FAIS CONFIANCE, SLAVON, MAIS D'ABORD JE VEUX RENCONTRER C... CE... CE K... KANDOR !... Hic !

J'ESPÈRE QUE CETTE FOIS T'AS DE QUOI PAYER, SLAVON ?..
PAS D'PROBLÈME, PATRON !.. MON AMI VA TE L'EFFACER, MON ARDOISE !...

AH ! HEUREUSEMENT QUE TU ES TOMBÉ SUR MOI, BRAGON !.. HA ! HA !..
HIC !..
13

JE SUIS RUINÉ... MALHEUR ! BOUHOUU...
HIC... ÇA Y EST ! J'SUIS SÛR ! C'EST... LÀ... J'AI TROUVÉ !..
AHHH ! PAS TROP TÔT !..

BOUUH !..
T'ENTENDS ÇA ?
IL A L'AIR D'Y AVOIR DE L'AMBIANCE...
WOOO

T'AS PERDU MAIS C'ÉTAIT BIEN, P'PA ! ON Y RETOURNERA, HEIN ?..
HMOUAIS... ALORS COMME D'HABITUDE... PAS UN MOT À TA MÈRE ?..

MILLE FURIES QUELLE AMBIANCE !..

ET TON KANDOR, OÙ QU'IL EST ?!.
ATTENDS !.. JE VAIS ME RENSEIGNER ...
14

MAIS SI, MAIS SI... IL FAUT QU'ON LE VOIE !...
C'EST MON COPAIN JAVON, EUH... BRAGIN... QUI VEUT LUI CAUSER.
RHAAÂÂ... BRA-GON... C'EST POURTANT PAS COMPLIQUÉ !!

BRAGON ?... C'EST COMME ÇA QUE TU T'APPELLES ?... ÇA FERAIT UN JOLI NOM POUR UN GLADIATEUR...

TU LE TROUVERAS LÀ-HAUT... BEAU GOSSE.

FIN DU COMBAT !
LE GRIS-GRELET EST VAINQUEUR !
OUAIS ! J'AI TOUT PARIÉ SUR LUI !

J'AI GAGNÉ ! JE SUIS RIIICHE !
BEAU COMBAT, QU'EST-CE QUE VOUS EN PENSEZ, KANDOR ?...
PAS MAL...
JE CROIS QUE TA RECRUE PEUT PASSER EN DEUXIÈME CATÉGORIE...
KANDOR, C'EST VOUS ?
OUI !
QU'EST-CE QUE TU ME VEUX, HUMAIN ?!
15

LE RIGE ?! HA HA HA !!
HA ! HA ! MON PAUVRE GARÇON !.. MAIS QUI ES-TU POUR PRÉTENDRE RENCONTRER UNE LÉGENDE ?
...IL S'APPELLE BRAGON !

HA HA ! IL Y AVAIT LONGTEMPS QU'ON NE M'EN AVAIT PAS PARLÉ... JE SUIS SANS DOUTE L'UN DES DERNIERS À L'AVOIR RENCONTRÉ !..
VOUS, LES JEUNES, VOUS VOUS CROYEZ LES MEILLEURS ...
...ET VOUS VOUS DITES COMME ÇA QUE LE RIGE, LUI, IL SAURA RECONNAÎTRE VOTRE VALEUR !.. QU'IL FERA DE VOUS SON ÉLÈVE ET VOUS ÉLÈVERA AU RANG DE CHEVALIER ! HA ! HA !..
BRAGON EST LE MEILLEUR DE THÂ... UN CHAMPION !..

... ET MOI AUSSI J'ÉTAIS LE MEILLEUR DANS MA PROVINCE... ET JE L'AI CHERCHÉ, TON RIGE... ET QUAND IL M'A TROUVÉ, J'AI EU LE MALHEUR DE LE PROVOQUER... LÀ, JE L'AI EUE, LA LEÇON QUE JE VOULAIS...

TU VOIS ÇA !?
UN SEUL COUP DE HACHE !

MAIS AVEC LUI, CE SERA PAS PAREIL !..
VRAIMENT ?.. ALORS QU'IL NOUS LE MONTRE !.. PAS VRAI, BRAGON ?
EUH...

CELUI-LÀ T'IRA ?
HI... HIPS !
16

HOULÀ !... ÇA DOIT FAIRE MAL, ÇA !... LE PAUVRE !...

KHEUUUU ! KHEUUUU... MILLE... FURIES !

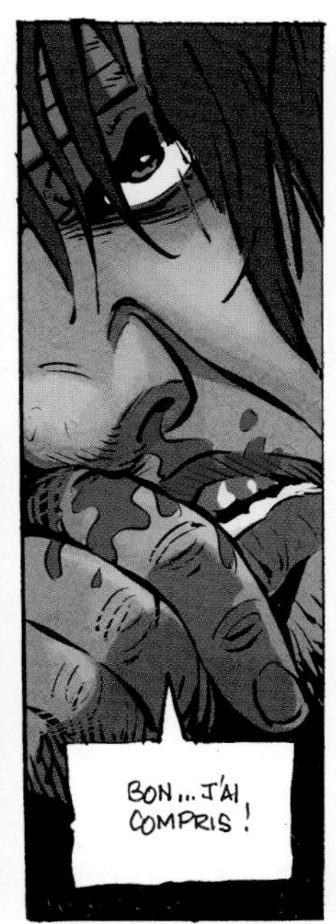
BON... J'AI COMPRIS !

!!

TÜMB !
ARGLL !

SPO

HAARGH !
SHLACK !

JE VOUS L'AVAIS DIT, QUE C'ÉTAIT LE MEILLEUR !... HÉ ! HÉ !...
POUR UN TYPE ÉMÉCHÉ, IL S'EST BIEN DÉFENDU... IL Y AURA PEUT-ÊTRE DE LA PLACE POUR LUI EN DEUXIÈME CATÉGORIE...

DEUXIÈME CATÉGORIE !! TATATA ! FAUT VOIR D'ABORD LES CONDITIONS !
ÇA COÛTE CHER, UN ENTRAÎNEMENT !
17

HA!
HA!
HA!
HA!
HA!

HA!
HA!
HA!
HA!
HA!
HA!

HA!
HA!
HA!
HA!
HA!
HA!
HA!
HA!
HA!
HA.

HA!
HA!
HA!
HA!
HA

MARA, J'EN SUIS SÛR MAINTENANT... CE N'EST PAS UNE COÏNCIDENCE.
QUE VEUX-TU DIRE, PÈRE ?..

18

QUELQUE CHOSE SE TRAME... DEUX PRINCES-SORCIERS ONT PERDU LEURS ENFANTS DANS DES CIRCONSTANCES SIMILAIRES.
...ET NOUS-MÊMES, ICI, À THÂ, IL Y A EU CE DÉMENT LE JOUR DES CH'TINES. TU TE SOUVIENS ?..
JE N'AI PAS ARRÊTÉ D'Y PENSER... ET AUJOURD'HUI, J'EN SUIS SÛR : CE N'ÉTAIT PAS CONTRE MOI QU'IL EN AVAIT !..
C'ÉTAIT TOI, SA CIBLE.

C'EST UNE CONSPIRATION, MARA, ET JE SOUPÇONNE...
...CETTE MYSTÉRIEUSE SECTE D'EN ÊTRE L'INSTIGATRICE...
"L'ORDRE DU SIGNE" ?!..

ELLE PRÔNE LE RETOUR À D'ANTIQUES PRATIQUES... DU TEMPS OÙ LE DIEU RAMOR ÉTAIT SUR LE POINT DE S'EMPARER DU POUVOIR FORCE...
RAMOR !.. MAIS IL EST PRISONNIER DANS SA CONQUE JUSQU'À LA NUIT DE LA SAISON CHANGEANTE... C'EST DANS UNE ÉTERNITÉ...

HÉLAS NON, MARA... SI CELA DEVAIT SE PRODUIRE, CETTE NUIT ARRIVERAIT DANS QUELQUES DIZAINES D'ANNÉES SEULEMENT...
TU DOIS TE SOUVENIR QUE LES AUTRES DIEUX ONT BANNI RAMOR AVEC UN DE LEURS ENCHANTEMENTS ET QUE LEUR MAGIE A ÉTÉ RECUEILLIE DANS UN GRIMOIRE...

UN GRIMOIRE ...
LUI SEUL PEUT NOUS AIDER À LUTTER CONTRE CETTE MENACE !

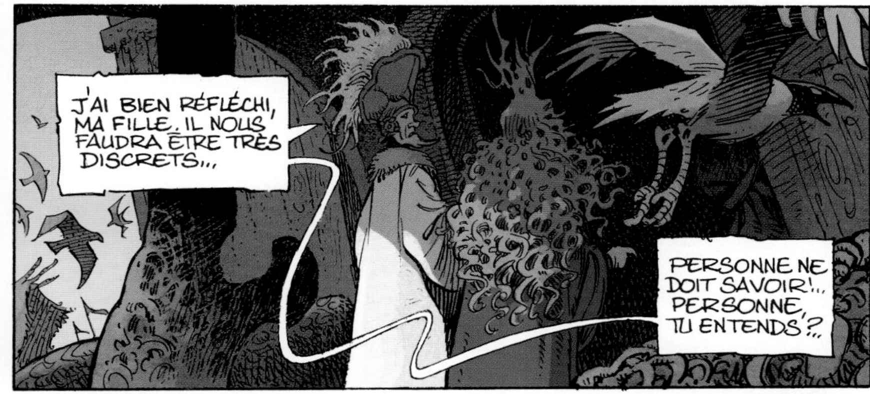
J'AI BIEN RÉFLÉCHI, MA FILLE. IL NOUS FAUDRA ÊTRE TRÈS DISCRETS...
PERSONNE NE DOIT SAVOIR !.. PERSONNE, TU ENTENDS ?..

LE COEUR ME PÈSE, MARA, MAIS JE ME VOIS OBLIGÉ DE TE CONFIER UNE GRAVE MISSION...
RETROUVER LE GRIMOIRE DES DIEUX...
MAIS LES AUTRES PRINCES... SERONT-ILS DANS LA CONFIDENCE ?..

NON. SEULEMENT TOI ET MOI... NOUS DEVONS PRÉSERVER AKBAR DE TOUTE TENTATION.
ET TOI, PÈRE ?.. NE SERAS-TU PAS TENTÉ ?

MON ÂGE NE ME LAISSERA PAS LE TEMPS DE DÉCHIFFRER TOUS LES SECRETS DU GRIMOIRE...
...ET SI LES DIEUX BONS LE VEULENT, C'EST TOI QUI ACHÈVERAS CETTE LOURDE TÂCHE...
JE CROIS EN TOI, MA FILLE...
19

BEN... MA SOEUR, ELLE DIT QUE T'ES DRÔLEMENT TIMIDE... C'EST VRAI QUE TU L'AS PAS ENCORE EMBRASSÉE ?..
MIRETTE ! ÇA SUFFIT !.. ARRÊTE D'EMBÊTER BRAGON !..
EUH...

C'EST PAS COMPLIQUÉ... J'VAIS TE MONTRER COMMENT ON FAIT...
MIRETTE !
QUEL SUCCÈS, CE BRAGON !..

UN VRAI BOURREAU DES COEURS !.. MAIS IL TE MANQUE L'ESSENTIEL... L'ÉLÉGANCE !..
REGARDE-MOI CETTE PELISSE...
ÇA M'A COÛTÉ UNE FORTUNE !..

A CE PROPOS...

PÔOZ
TOI, C'EST LA DERNIÈRE FOIS QUE JE T'EMMÈNE, ESPÈCE DE DÉVERGONDÉE !
...TU POURRAIS PAS ME DÉPANNER ?. QUELQUES PIÈCES SEULEMENT...
ENCORE ! HMPH... TES MAUDITS PARIS, JE SUPPOSE ?

OUAIS, MAIS CE SOIR, JE VAIS ME REFAIRE... JE LE SENS... JE TE LE JURE !..
TU N'AS QU'À PARIER SUR MOI !..
HA ! HA ! JAMAIS !.. T'ES LE MEILLEUR DE TA CATÉGORIE !..
JALOUSE !..
ET ALORS ?

ET ALORS UN FAVORI, ÇA NE RAPPORTE RIEN... ET MOI, CE QUE JE VEUX, C'EST LE PACTOLE !
DE QUOI M'ACHETER UNE FERME ET VIVRE PARMI LES MIENS !.. LE RÊVE POUR UN PAUVRE TAUPIN EXILÉ LOIN DE SON PAYS !..
MON RÊVE !
20

KRÂÂA!
CE JOUR-LÀ, LE PRINCE-SORCIER HUMOUN AVAIT RECOMMANDÉ À SA FILLE D'ÊTRE MÉCONNAISSABLE,

MÊME LES GARDES IGNORAIENT QU'ILS L'ACCOMPAGNAIENT JUSQU'AUX FRONTIÈRES DE LA MARCHE DES VOILES D'ÉCUME...

C'ÉTAIT LA PREMIÈRE FOIS DE SA VIE QUE MARA QUITTAIT THÂ COMME UNE SIMPLE PALFANGEUSE...

TOUT LUI SEMBLAIT NOUVEAU.
DIFFÉRENT...

QU'IMPORTE SI LE CONFORT DU PALAIS FAMILIAL LUI MANQUAIT...

...MARA NE PENSAIT QU'À SA MISSION.
21

OUAIS! OUAIS! BATS-TOI...
DÉFONCE-LE!..

PÔÔ

ÇA VA, LES GARS! J'AI COMPRIS!.. C'EST TOUT CE QUE J'AI!..
N'OUBLIE PAS QUE TA DETTE SE RALLONGE, SLAVON!.. VA FALLOIR SONGER À REMBOURSER MON MAÎTRE...

T'INQUIÈTE PAS, L'AMI, CETTE FOIS-CI JE VAIS ME REFAIRE... PAROLE!..
QU'EST-CE QU'IL TE VA BIEN, TON PLASTRON!

MOI, JE VOUDRAIS BIEN LE VOIR SANS! HI HI!..
BRAGON!

TU AS RAISON! JE VAIS MISER MES DERNIÈRES PIÈCES SUR TOI...
ÇA NE VA PAS ME RAPPORTER GROS MAIS AU MOINS CE SERA TOUJOURS ÇA!

TU NE VOUDRAIS QUAND MÊME PAS QUE JE PERDE, PARTENAIRE?..
HA HA! ON DIRAIT QUE TU LIS DANS MES PENSÉES!...

BEN, DIS DONC, SLAVON, IL SERAIT PAS UN PEU PUCEAU, TON COPAIN?..
IL VA FALLOIR LE DÉNIAISER, HI! HI!...
22

HM-M... CETTE DEMI-FINALE VA ÊTRE INTÉRESSANTE...

...CETTE FOIS, BRAGON A EN FACE DE LUI UN ADVERSAIRE À NE PAS NÉGLIGER... QU'EST-CE QUE TU EN PENSES, ASPYR ?..
ATTENDONS DE VOIR...

KLONG!
HMPH... BIEN VU!

JOLI COUP!
SACRÉ BRAGON! IL SAIT SE SERVIR DE SON BÂTON!..
HI! HI! HI!..

MOI AUSSI, SI TU VEUX, JE PEUX TE MONTRER COMMENT JE M'EN SERS, DE MON BÂTON.. EH-EH!..
BAS LES PATTES!.. JE FRAIE PAS AVEC LES TAUPINS!..

TOCK!
OUCH

KLAAK!

SPÖ!

ET MAINTENANT, TU EN PENSES QUOI?
HUM... ÇA SERA UNE TOUT AUTRE AFFAIRE QUAND IL COMBATTRA DANS MA CATÉGORIE...
23

PENDANT CE TEMPS, AUX CONFINS DU PAYS DES SEPT MARCHES...

... MARA DÉCOUVRAIT UNE NOUVELLE FAÇON DE VOYAGER...

LOIN DE TOUT PROTOCOLE...
...ET LIBRE COMME LE VENT...
...UN AUTRE MODE DE VIE...
... FAIT DE JOIES SIMPLES...

PFF... EH BEN, TU VOIS, C'EST PAS COMPLIQUÉ ! ÇA N'DEMANDAIT QU'À SORTIR !...
J'SAVAIS BIEN QUE SOUS TES BRAIES Y AVAIT DU TEMPÉRAMENT !

C'EST QUE T'AVAIS DU TEMPS À RATTRAPER, JOLI COEUR !

N'EST-CE PAS, BRAGON ?!
OUI, HI ! HI ! ET C'EST PAS FINI !...
24

AILLEURS, LE VENT POUSSAIT BÊTES ET GENS...

CHACUN PARTAGEAIT LES VERTUS DE L'ENTRAIDE...
LA SAISON HUMIDE ÉTAIT EN AVANCE...
OH!
HA! HA! HA! HA!
SPOTCH!

PIF! PAF!
OUAIS, VAS-Y..., TU L'AS!

LE COMBATTANT BRAGON A GAGNÉ!

JE SUIS LE CHAMPION TOUTES CATÉGORIES!

HM... MÉFIE-TOI, ASPYR, CE BRAGON DEVIENT DE PLUS EN PLUS POPULAIRE...

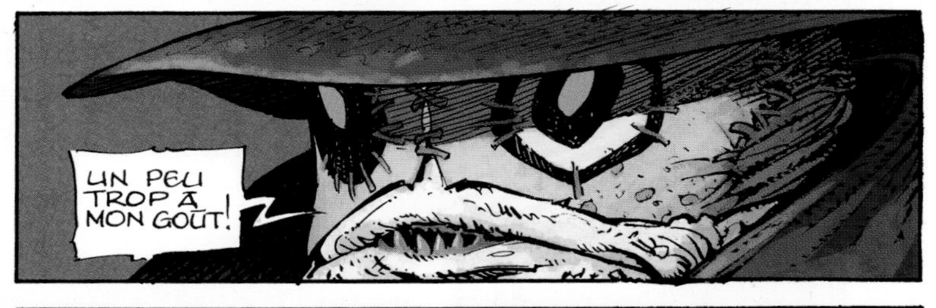
UN PEU TROP À MON GOÛT!

NOUS AUSSI, NOUS ALLONS BIENTÔT COMMENCER À FAIRE PARLER DE NOUS...
JUSTEMENT, SLAVON N'A TOUJOURS PAS REMBOURSÉ SES DETTES, MAÎTRE...
25

IL Y A 13 ANS, UN BORAK EN CHASSE AVAIT PRIVÉ MARA DE L'AFFECTION DE SA MÈRE...

...ELLES ÉTAIENT INSÉPARABLES...

...LE CHAGRIN DE MARA AVAIT ÉTÉ IMMENSE...

PLOP!
PLOP!
PLOP!
...MÊME SON PÈRE N'AVAIT PU LA CONSOLER...

À LA COUR, SES PROCHES JUGEAIENT MARA PARFOIS FRIVOLE... OU SANS COEUR...

C'ÉTAIT MAL LA CONNAÎTRE !..

AÏE! MILLE FURIES! TU ME FAIS MAL!

MAIS JE T'ASSURE, CET ONGUENT EST TRÈS EFFICACE... AVEC ÇA, CHAMPION, TES CICATRICES SERONT VITE OUBLIÉES.

HUMPH! QU'EST-CE QUE C'EST?

UNE POMMADE À BASE DE LARVES DE PONGES... UNE SPÉCIALITÉ QUE SEULS NOUS AUTRES SAVONS CONCOCTER...

QUI ÇA, VOUS AUTRES?
BEN, LES TAUPINS PARDI!.. MON PEUPLE...
LES SEULS À POUVOIR APPROCHER LES FICHUS PONGES SANS SE FAIRE BOUFFER, HI, HI, HI!..

FAUT DIRE QU'ON N'EST PLUS TRÈS NOMBREUX...
TU ME RACONTERAS TA VIE PLUS TARD! J'AI RENDEZ-VOUS!
MAIS!.. OÙ VAS-TU?

OÙ ÇA? T'ES PAS ANNONCÉ, CE SOIR.
JE ME SENS EN FORME POUR UN AUTRE GENRE DE COMBAT...
HA! HA! HA!..

PASSE UNE BONNE NUIT, SLAVON!.. ET CETTE FOIS, ARRANGE-TOI POUR MISER SUR LES BONS...
DIS DONC, DEPUIS QU'ELLES T'ONT DÉNIAISÉ, T'ARRÊTES PLUS, TOI!
28

KRÂA!
KRÂA! KRÂA!

COMBAT APRÈS COMBAT...

GRRR.. GRR..

VICTOIRE APRÈS VICTOIRE...

...BRAGON SE CONFIRMAIT COMME LE MEILLEUR DE SA CATÉGORIE...
HUN!

PSSST..

MAIS TOUTE VICTOIRE A SES LIMITES...
HI! HI!
HA HA!.. NON, MA JOLIE!.. JE SAIS QUE LA VUE DU SANG TE REND EUPHORIQUE MAIS JE NE SUIS PAS ASSEZ FOU POUR ME FROTTER À CES BRUTES SANS CERVELLE!
DE QUOI ILS PARLENT ?..
HIC!.. LA "PREMIÈRE CATÉGORIE"!.. L'ULTIME!.. LA SEULE OÙ L'ON COMBAT À MORT!.. UNE VRAIE BOUCHERIE! BRR-R! ...
29

UNE FAVEUR, MES PRINCESSES! QUE DIRIEZ-VOUS DE DÉRIDER NOTRE BON AMI SLAVON ?! MÊME UN TAUPIN COMME LUI A BESOIN D'UN PEU DE TENDRESSE, HÉ, HÉ !
BRAGON... TU DEVIENS STUPIDE !

J'T'AIME BIEN MAIS JE TE PRÉFÉRAIS AVANT !... REGARDE-TOI ! HIC !... TU PASSES TON TEMPS À TE FROTTER À CES DONZELLES AU LIEU DE... DE...

DE QUOI? RESTE DONC !
RAPPELLE-TOI POURQUOI TU ES LÀ !... HIC...

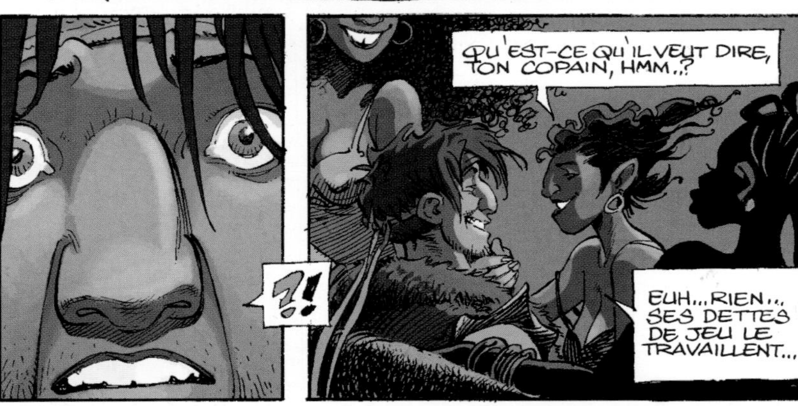
?!
QU'EST-CE QU'IL VEUT DIRE, TON COPAIN, HMM...?
EUH... RIEN... SES DETTES DE JEU LE TRAVAILLENT...

TU TE PERDS, BRAGON... TU TE... HIC !... PERDS...

RÔNN
ZZZ
RÔONN
ZZZ
RÔNN
ZZZ

RON
ZZZ
RRRHHHH
FSSSSRRR
ZRROON!
RKRON
ZZZ
ROOONN
RONN
ZZZ
RONN
RON! ROON! RON!
RON! RON!
ZZZ
ROON
ZZZ

RON!
ZZZ
RRROOO
RO
RRONN
30

MÊME KANDOR A ESSAYÉ DE LE CONVAINCRE, MAÎTRE, MAIS IL S'ENTÊTE À RESTER DANS SA CATÉGORIE !..
CE BLANC-BEC, J'EN FAIS MON AFFAIRE !..

UN DÉFI ?.. TU AS RAISON ! IL POURRA PAS REFUSER !
ESSAIE QUAND MÊME DE L'ÉPARGNER, JE VEUX QU'IL PUISSE SERVIR NOTRE CAUSE, IL EST POPULAIRE, IL FERA UNE BONNE RECRUE...

PAS SI J'EN FAIS DE LA CHAIR À PÂTE !..

JE CROIS QUE TU NE M'AS PAS COMPRIS, FRÈRE !..

...C'EST UN ORDRE !

VAGUAMARE ?.. C'EST À UNE JOURNÉE DE MARCHE MAIS N'Y ALLEZ PAS !..
J'AI PERDU TOUT MON ARGENT LÀ-BAS, DANS LEURS FICHUS TOURNOIS !
WAF !
RRRRR
31

SPÖ!

À MORT!..
TUE-LE!..

VIVE ASPYR!

SKRÖK!

ALORS, CHAMPION... ÇA NE TE DIT TOUJOURS RIEN ?..
TU PRÉFÈRES RESTER BIEN SAGEMENT DANS TON PETIT COIN, HEIN ?

JE RELÈVE LE DÉFI !...

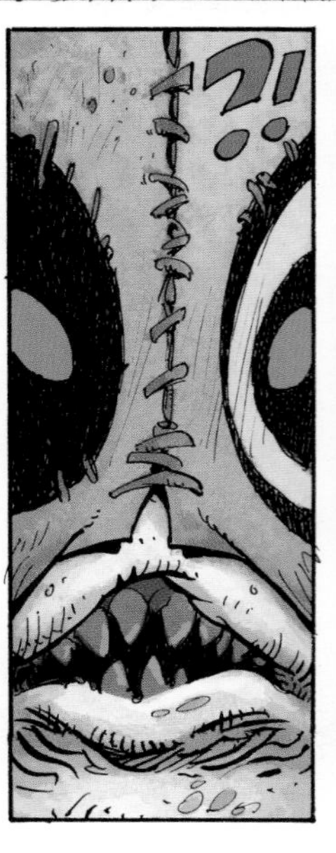
?!

HA! HA! HA!

PARFAIT, BRAGON !
ALORS NOUS NOUS AFFRONTERONS DEMAIN SOIR...
...ET JE TE PROMETS QUE TU NE LE REGRETTERAS PAS, HA, HA, HA !..

PLOP !
LAISSE TOMBER, BRAGON !

JE TE LE RÉPÈTE, C'EST UNE VRAIE BOUCHERIE, TU N'AS RIEN À PROUVER !
SI, JUSTEMENT !..
PLOP !

MAIS J'ÉTAIS IVRE, BRAGON, JE DISAIS N'IMPORTE QUOI, L'AUTRE SOIR !..
TON IVRESSE M'A OUVERT LES YEUX !..

SI JE GAGNE, PEUT-ÊTRE QUE LE RIGE L'APPRENDRA.
SOUHAITE-MOI BONNE CHANCE, SLAVON !..
J'Y CROIS, BRAGON, J'Y CROIS !
MÊME QUE JE VAIS PARIER SUR TOI.
PLOP !

VAGUAMARE...
ENFIN !..

JUSTE LE TEMPS DE CHANGER DE MONTURE... ET PUIS AUSSI... PRENDRE UN BON BAIN...

HIC !
JE DOIS PUER...

POURVU QUE PERSONNE NE ME RECONNAISSE !
33

UNE BONNE AUBERGE ?.. DANS CE QUARTIER ?.. ESSAYEZ "LA CRUCHE D'OR" C'EST LA PLUS FRÉQUENTABLE, MA PETITE...
ÇA SUFFIT ! C'EST RIDICULE !...
MAIS M'MAN... PAPA EST D'ACCORD POUR M'EMMENER !
?!
ET MOI, JE TE DIS QUE CE N'EST PAS DE TON ÂGE...
...DÉJÀ QUE T'ARRÊTES PAS DE ME CHAUFFER LES OREILLES AVEC TON BRAGON PAR-CI, BRAGON PAR-LÀ...

S'IL VOUS PLAÎT... JE VOUS AI ENTENDU PARLER D'UN CERTAIN BRAGON...
OUI, ET ALORS ?..

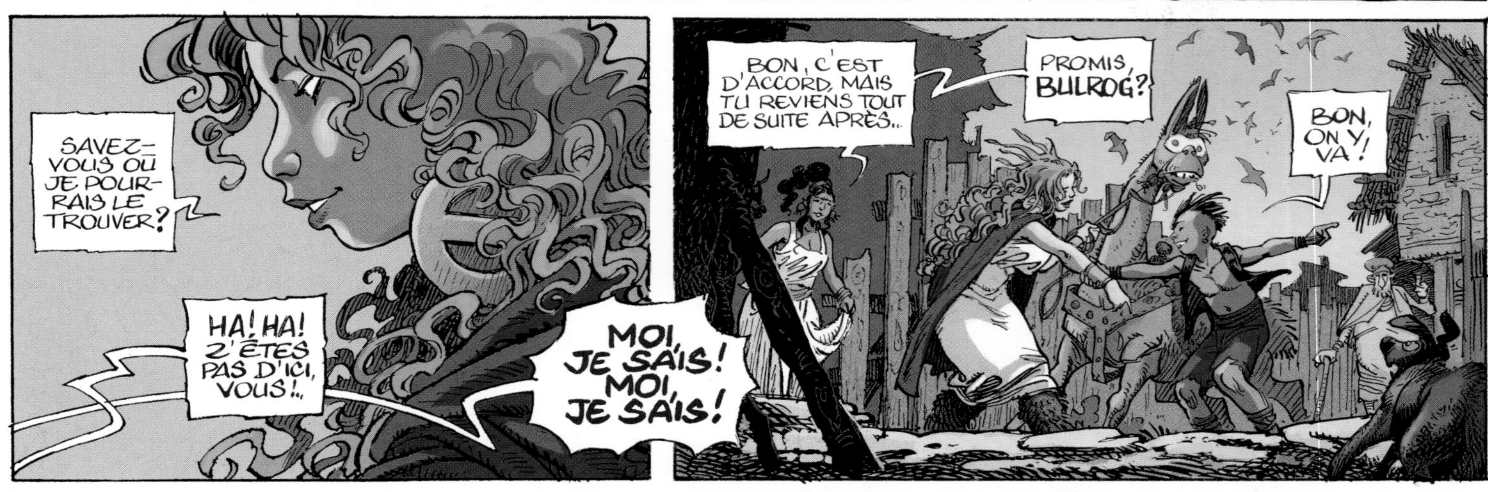
SAVEZ-VOUS OÙ JE POURRAIS LE TROUVER ?
HA ! HA ! Z'ÊTES PAS D'ICI, VOUS !..
MOI, JE SAIS ! MOI, JE SAIS !
BON, C'EST D'ACCORD, MAIS TU REVIENS TOUT DE SUITE APRÈS...
PROMIS, BULROG ?
BON, ON Y VA !

CETTE FOIS, C'EST DU SÉRIEUX, MON GARÇON !.. TU ES TOUJOURS DÉCIDÉ ?..
JE SUIS PRÊT !..

ALORS QUE LE MEILLEUR GAGNE...
C'EST BRAGON LE MEILLEUR ...

IL A PEUR, C'EST BIEN !.. IL COMBATTRA ENCORE MIEUX !..
34

BRAGON BRAGON BRAGON BRAGON BRAGON
VITE ! VITE ! ÉCOUTEZ CES CRIS. LE COMBAT A DÛ COMMENCER...

PAR ICI ! ON Y ARRIVERA PLUS VITE ! JE SAIS PAR OÙ PASSER...

KLANG !

C'EST BON ! ON Y EST !..
JE DOIS ME FAIRE DISCRÈTE...

HORRFF !
LES PREMIERS ASSAUTS AVAIENT ÉTÉ SANS PITIÉ... ÉPROUVANT LES FORCES DES DEUX ADVERSAIRES...
QUEL CHOC ALORS POUR LA JEUNE PRINCESSE.
35

LA CLAMEUR ÉTAIT INTENSE... L'ODEUR DU SANG ÂCRE... LES PARIS FUSAIENT DE PARTOUT...
?!
TUMB!
IL Y AVAIT QUELQUE CHOSE D'OBSCÈNE DANS L'AIR...
BRAGON!..

ON ÉTAIT BIEN LOIN DE LA SALLE D'ENTRAÎNEMENT DE FRANGE...
HUMPH!
KLANG!
?!.
MAIS...IL... IL VA SE FAIRE MASSACRER!
BING!
KLANG!
SPÖ!

SHRiiiK!
AAAAHH!..
LE DESTIN ÉTAIT EN MARCHE À VAGUAMARE...
C'EST BRAGON QUI VA GAGNER!
36

HHMM... POUR UN HUMAIN, IL EST VRAIMENT CORIACE !..
S'IL S'EN SORT, IL FERA UN BON ÉLÈVE POUR LE RIGE ...

SPÖ!

VAS-Y BRAGON, TUE-L !...
HOULÀ !..

ASPYR A AFFAIRE À UN RUDE ADVERSAIRE, MAÎTRE... FRANCHEMENT, JE NE SUIS PAS SÛR DE L'ISSUE DU COMBAT !
J'AI CONFIANCE. ASPYR S'AMUSE AVEC LUI... IL VA BIENTÔT LE LAISSER GAGNER !

AAAH!

SPÖ!
HAARG!

37

INCROYABLE! APRÈS TOUT CE TEMPS, ILS SONT ENCORE DEBOUT !...
BRAGON LUI TIENT TÊTE !..
PAS POUR LONGTEMPS ...
ASPYR EST TOUJOURS LE PLUS FORT !
JE DOUBLE MON PARI !..
JE TIENS !
MOI AUSSI !.. MOI AUSSI !

KRÂAK !
AÏE !..

BRAGON !..

MARA ?!..

...
SPÖ !
HOUTCH !

38

QUI T'ES TOI?..
REGARDE CE QUE T'AS FAIT!..
HAARGH!..
J... JE...

VOUS... VOUS CROYEZ TOUJOURS QU'ASPYR VA L'ÉPARGNER?
JE L'ESPÈRE, FRÈRE!.. JE L'ESPÈRE!..

CETTE FOIS, JE VAIS TE CREVER!...
...

B..BRAGON!
NON, JE NE T'ÉPARGNERAI PAS!

AARGH!..

BRAGON, MON PAUVRE AMI, AVEC TA MORT, HÉLAS, JE VAIS REMBOURSER MES DETTES...
GLOUP'S!
J'VEUX PAS REGARDER ÇA!.. MON BRAGON...
BRAGON... NOON... BRA...GON...
DOMMAGE, ON L'AIMAIT BIEN, NOTRE ÉTALON!..
M-MARA...

RHAÂÂÂ!..MES YEUX! MES YEUX..J..
PSSHH!
KHEUU.. RRHH..
JE BRÛLE! JE..J...

JE BRÛLE! JE BRÛLE!

TU ES LE PLUS FORT, BRAGON, LE PLUS FORT! TU AS GAGNÉ...
AAAAAH!

TU PARTAIS POURTANT PAS GAGNANT! HA! HA! SACRÉ BRAGON!..
TU AS GAGNÉ, HI, HI!..
BRAGON, J'AI EU SI PEUR!..
KHEUHEU KOF! KOF! MARA...
MES YEUX!.. MES YEUX!..

TOI LE TAUPIN, TU RESTES ICI! ON A DES CHOSES À RÉGLER!..
J'REMBOURSERAI. J'TE JURE..., J'LE REMBOURSERAI, TON MAÎTRE!..

UN TAUPIN?!.
HEIN, BRAGON, ?!.
TU NE CHANGERAS JAMAIS, SLAVON... C'EST BON, AVEC CE QUE J'AI GAGNÉ, JE PAIERAI...
40

JE SUIS RIIIICHE !..
JE SUIS RUINÉ !..
VA FALLOIR TROUVER UN AUTRE CHAMPION, KANDOR ...
POUR LUI, C'EN EST FINI !..
IL EST AVEUGLE !..
KOF! KOF!
MES YEUX!.. MES YEUX! ...

KHOF!.. KOFF!..
HM ... IL NE NOUS RESTE PLUS QU'À BIEN MANIPULER CE BRAGON POUR QU'IL SERVE "L'ORDRE DU SIGNE" ...
MON CHAMPION, TU AS VU DANS QUEL ÉTAT TU ES ?..TSSS...
ALORS, VOUS ÊTES UN TAUPIN ?..
BEN OUI, POURQUOI?
ALLEZ, VIENS MON GRAND, ON VA PAS AVOIR ASSEZ DE LA NUIT POUR PANSER TES BLESSURES ...
ET TE CÂLINER, HI ! HI !..
IL EN EST HORS DE QUESTION ! VOUS ALLEZ LE LÂCHER !.. J'AI À LUI PARLER, À LUI ET AU TAUPIN ...
?!

FÉLICITATIONS, MON GARÇON !... JE PENSE QU'AVEC CE COMBAT, TA RÉPUTATION VA MONTER JUSQU'À LUI ...
LE RIGE !
Tsss !..
OUI. EH BIEN EN ATTENDANT, MOI, JE SUIS BRISÉ... MILLE FURIES !
VIENS, MARA. TU VAS TOUT NOUS RACONTER !

TROP TARD !..
PUF !
LE LENDEMAIN, AUX PREMIÈRES LUEURS DE L'AUBE...
M... MAIS MARA, TU AURAS QUAND MÊME BESOIN DE MA PROTECTION ?..
NON, BRAGON ! JE TE RAPPELLE QUE C'EST TOI QUI AS INSISTÉ POUR M'AC-COMPAGNER !..

JE ME SUIS RÉVEILLÉ TROP TARD... JE N'AURAIS PAS EU LE TEMPS DE LUI DONNER SON TROPHÉE ...

...ET PUIS LÀ OÙ JE VAIS, SEULS DES TAUPINS PEUVENT ME PROTÉGER !..
ÇA SUFFIT ! JE VOUS PAIE ASSEZ CHER POUR NE PAS AVOIR À SUPPORTER VOS REMARQUES DE RUSTAUD !..
EH OUI, MON VIEUX BRAGON, CHACUN SA SPÉCIALITÉ... NOUS AUTRES, LES TAUPINS, NOUS EXERÇONS UN CHARME REDOUTABLE SUR CERTAINES FEMELLES...
HA ! HA !

SI J'AVAIS SU, JE SERAIS RESTÉ ME FAIRE DORLOTER PAR...
...
EH BIEN N'HÉSITE PAS, BRAGON ! SAUTE À L'EAU ET VA LES REJOINDRE...
VOUS ME FATIGUEZ !..
?!...
...
EH ! OH !.. PAS QUESTION !.. S'IL S'EN VA, QUI VA ME PROTÉGER ?..

MAIS... QU'EST-CE QUE J'AI DIT ?
BAH... JE LA CONNAIS... POUR ELLE, ON N'EST PAS DU MÊME MONDE...
42

TOUTE LA MATINÉE, LE NAVIRE AVAIT LONGÉ LA CÔTE ...
TIENS, MARA, TU DOIS AVOIR FAIM...
NON. MERCI, BRAGON. TU N'AS QU'À LE DONNER À TON AMI.
IL DORT.

DIS MARA, TU TROUVES PAS ÇA BIZARRE QU'ON SE SOIT RETROUVÉS COMME ÇA À VAGUAMARE ?.. TOI... MOI... NOUS DEUX ?..
J'AVOUE QUE J'AI ÉTÉ SURPRISE... QU'EST-CE QUE TU VEUX DIRE ?..

TU SAIS, J'AI BEAUCOUP PENSÉ À TOI DEPUIS QUE J'AI QUITTÉ LA MARCHE DES VOILES D'ÉCUME ...
OUI, J'AI VU !

ALLONS, MARA. OUBLIE CES FILLES... ELLES NE COMPTENT PAS POUR MOI.
QU'EST-CE QUI COMPTE POUR TOI, BRAGON ?..
RÔN !.. RÔN !..
NOTRE HISTOIRE, MARA !..
NOTRE HISTOIRE...

ALLEZ, OUBLIE ÇA, BRAGON...
JE SAIS MARA ...
JE NE SUIS QU'UN ROTURIER ET TOI... UNE PRINCESSE !..
43

À LA MI-JOURNÉE...
NOUS VOILÀ BIENTÔT ARRIVÉS !..
WÂÂAHHH !.. JE NE SAIS PAS POUR VOUS, MAIS MOI J'AI BIEN DORMI...

C'EST LE PORT D'ANSAC !.. REGARDEZ, C'EST LÀ-BAS QU'ON VA DÉBARQUER ! ...
ANSAC... LE DERNIER PORT ACCESSIBLE AU SUD DE LA CÔTE ORIENTALE...

...LE POINT DE DÉPART POUR LES PLATEAUX DE CRAIE...
44

(*) VOIR L'ALBUM PRÉCÉDENT : " L'AMI JAVIN ".

LA PLUIE AVAIT ÉTÉ BRÈVE MAIS HARASSANTE... ET LE SOIR VENU...
MARA!..
MARA, TU DORS ?...

...
RÔN! RÔNNNN! RÔN!

SI TU SAVAIS ...

HUMMM... ET PUIS À QUOI BON !..

RÔÔN.
RONN
RÔNN
BEAUCOUP DE CHEMIN RESTAIT ENCORE À FAIRE ...

LES PLATEAUX DE MOUSSE ET DE CRAIE... L'UN DES LIEUX LES PLUS PRIMITIFS D'AKBAR...
VOILÀ, LES AMIS, NOUS Y SOMMES !
AAAHH !.. C'EST LÀ, QUE JE SUIS NÉ !.. AU PIED DU MAT'BATA...
REGARDEZ COMME C'EST MAGNIFIQUE !

SENTEZ CES EFFLUVES QUI CHAHUTENT VOS NARINES.
ÇA FAIT PLAISIR DE RETOURNER AU PAYS...
OH, SLAVON, ÇA FAISAIT LONGTEMPS !
MÛUU !

ÇA POUR CHAHUTER, ÇA CHAHUTE !.. N'EST-CE PAS, MARA ?..
PFOUUU !.. C'EST LE BÉTAIL QUI... QUI SENT COMME ÇA ?..

PENSEZ-VOUS, CE SONT LEURS CARCASSES QUI PARFUMENT L'AIR ...
ON LES ACCROCHE LÀ-HAUT DANS LE MAT'BATA. POUR RÉCOLTER LES OEUFS DE PONGES.
TIENS, CE S'RAIT-Y PAS LE FILS À OLGA QUI NOUS REVIENT ?..
...AURA-T-IL FAIT FORTUNE, CETTE FOIS ?..

PEU APRÈS, À L'ÉCART DU VILLAGE...
...ET POUR FINIR, AVEC CE PHILTRE D'AMOUR, C'EST À PEU PRÈS TOUT CE QU'ON PEUT FAIRE AVEC LES ŒUFS...
MAINTENANT, SÉRIEUSEMENT, MARA, VOUS ÊTES SÛRE DE VOULOIR VOUS BADIGEONNER DE BAUME RÉPULSIF ET VOUS AVENTURER LÀ-DEDANS? AU CŒUR DU MAT'BATA, DANS L'OMBRÂGE...

OUI, IL LE FAUT.
ALORS LAISSEZ-MOI FAIRE, JE M'OCCUPE DE TOUT...
MARA, IL EST HORS DE QUESTION QUE JE TE LAISSE ALLER SEULE LÀ-DEDANS!..
IL EST HORS DE QUESTION QUE TU M'ACCOMPAGNES!

SLAVON!.. TU ES REVENU?..
MAIS POURQUOI?..
C'EST COMME ÇA!

ÇA Y EST, C'EST RÉGLÉ MAIS JE VOUS PRÉVIENS, C'EST TOUT CE QUI NOUS RESTE DE RÉPULSIF!..
DONNE!

IL Y A DEUX ÉTRANGERS QUI ONT VOULU FAIRE COMME VOUS IL N'Y A PAS LONGTEMPS ET QUI N'EN SONT JAMAIS RESSORTIS!

DE TOUTE FAÇON, DE MÉMOIRE DE TAUPIN, PERSONNE N'EN EST JAMAIS RESSORTI, DE L'OMBRÂGE...
ET AVEC ÇA TU VEUX TOUJOURS Y ALLER?
OUI!

ALORS MOI AUSSI JE ME BADIGEONNE ET JE T'ACCOMPAGNE!
C'EST DÉCIDÉ!
48

LES PONGES...
DES INSECTES VOLANTS ET CARNIVORES...
...DONT LA NOURRITURE SERVAIT DE NIDS POUR LEURS OEUFS.
CETTE... CETTE ODEUR... C'EST IN-SUPPORTABLE... JE NE ME SENS P... PAS BIEN...
EH BIEN, TU VOIS QUE J'AI BIEN FAIT DE T'ACCOMPAGNER.
BEUUURB!..
49

ALLEZ, MARA, C'EST RIEN, ON CONTINUE ...
ON NE DEVRAIT PLUS ÊTRE LOIN DE CETTE MAUDITE OMBRÂGE...
REGARDE, JE CROIS QUE NOUS Y SOMMES.
OUI, C'EST ICI !..
50

?!..
ALORS C'EST ÇA, L'OMBRÂGE... DES RUINES ?
OUI, BRAGON... MAIS PAS N'IMPORTE LESQUELLES !..
RARES SONT CEUX QUI SAVENT QU'IL Y AVAIT ICI L'UN DES PLUS ANCIENS CENTRES SPIRITUELS D'AKBAR !..
MON PÈRE PRÉTEND MÊME QUE CE SONT LES DIEUX ANCIENS QUI L'ONT CRÉÉ...

MAIS SUFFIT ! NOUS SOMMES PRESSÉS PAR LE TEMPS.
RESTE ICI... JE DOIS Y ALLER SEULE...

J'ESPÈRE QUE TU SAIS CE QUE TU FAIS, MARA ?.. C'EST PEUT-ÊTRE DANGEREUX DE S'AVENTURER LÀ-DEDANS !..
NE T'INQUIÈTE PAS, BRAGON. ET PUIS JE N'AI PAS PARCOURU TOUT CE CHEMIN POUR RECULER DEVANT MA TÂCHE !

MON PÈRE M'A PRÉVENUE DE L'ATTITUDE À AVOIR...

MAIS, MARA, POURQUOI TOI ?..
JE SUIS LA FILLE D'UN PRINCE-SORCIER...

MON BRAGON... FAIS-MOI CONFIANCE, ALLONS... JE NE PEUX PAS T'EN DIRE PLUS...
NOUS FAISONS ÇA POUR PROTÉGER AKBAR...

...
51

UN AUTEL !..
MON PÈRE AVAIT RAISON. "IL" EST LÀ... SUR LA PIERRE !..

BRR... AVANCE MARA, AVANCE...
N'OUBLIE PAS CE QUE PÈRE T'A DIT...
QUOI QU'IL ARRIVE, TU CONTINUES !

LÀ !.. LE SIGNE !
DES MEMBRES DE LA SECTE... ÇA NE PEUT ÊTRE QUE LES DEUX INCONNUS DONT PARLAIT SLAVON...

OH !.. QU'.. QU'EST-CE QUI M'ARRIVE ?.. J-JE RESSENS COMME UNE GRANDE FATIGUE...
MES JAMBES SONT LOURDES ...
OUI LOURDES... DE PLUS EN PLUS LOURDES ...
52

MILLE FURIES!.. IL NE FAUDRAIT PAS QUE MARA TARDE TROP!..
CES SATANÉS PONGES S'APPROCHENT DE PLUS EN PLUS.
PAR LES DIEUX BONS!
MES MAINS!..

MON VISAGE!.. M...MA PEAU!..
QUELLE HORREUR!..

P... PÈRE... PÈRE, JE NE FAILLIRAI PAS... JE SERAI DIGNE DE... DE NOTRE LIGNÉE...

LE GRIMOIRE...
LE GRIMOIRE DES DIEUX...
53

Bzzz
Bzzz
SANG ET FUMÉE ! IL FAUT PARTIR !... LES PONGES DEVIENNENT DE PLUS EN PLUS MENAÇANTS !...

LE BAUME EST EN TRAIN DE PERDRE DE SON EFFICACITÉ ...

MARA REVIENS !...
!?!

M... MARA C... C'EST TOI ?!

MARA ?!
N... NON... B... BRAGON, RESTE OÙ TU ES...
N... N'AVANCE SURTOUT PAS... J... JE...
...JE VAIS Y ARRIVER ...

MILLE FURIES ! JE NE SAIS PAS CE QUI SE PASSE DANS CE TROU MAIS JE NE VAIS PAS TE LAISSER COMME ÇA !...
N... NON BRAGON !

NOON !
N... NE VIENS PAS M'AIDER !... IL T'ARRIVERAIT LA MÊME CHOSE...

LE TEMPS EST... UNE MALÉDICTION ... DANS L'OMBRÂGE !
54

MON PÈRE M'AVAIT PRÉVENUE...
CHAQUE PAS VERS L'AUTEL...
...SE PAIE EN ANNÉES !..
KRAÄK !

MARA !..
NON... VA-T'EN !.. NE ME REGARDE PAS !..

BRAGON... T... TOI AUSSI !?
?!
DE QUOI PARLES-TU, MA PRINCESSE ?!.

C... C'EST FINI POUR MOI, BRAGON ...
!?!
MARA !.. M... MAIS QUE T'EST-IL ARRIVÉ ?!.

JE SUIS RESTÉE TROP LONGTEMPS... JE N'AI PLUS LA FORCE... J'AI ÉCHOUÉ...
MARA...
VA, TOI. ET RAMÈNE ÇA À MON PÈRE...
NE DIS PLUS RIEN, MARA... JAMAIS JE NE T'ABANDONNERAI.
NOUS SORTIRONS DE CE PIÈGE...
ENSEMBLE...
55

MARA ...

TU... ES REDEVENUE COMME AVANT, MARA... OUI, COMME AVANT...
LE CAUCHE-MAR EST FINI...

BRAGON, J... J'AI EU SI PEUR...

Bzzz...
Bzzz.
!?...
...IL FAUT DÉGUERPIR AU PLUS VITE!..

ALLEZ DEBOUT, MARA!..
Bzzz.
JE... N'EN PEUX PLUS... JE SUIS ÉPUISÉE.. J... JE...

MILLE FURIES! N'OUBLIE PAS QUE TU ES UNE PRINCESSE!.. TU VAS Y ARRIVER!..
ON VA Y ARRIVER!
56

Bzzz
Bzzz

BZZZZZZZZZZ

Bzzzzz
BZZz

BZZZZZZZZ
Bzzz
C'EST FINI !..

C'EST FINI ! VOUS ÊTES SAUVÉS...! BRAGON !
OUSTE ! FICHEZ LE CAMP, MAUDITES BESTIOLES !
SLAVON.
VOUS NE RISQUEZ PLUS RIEN AVEC NOUS ! ON VOUS PROTÈGE ...
HA HA !.. LES PONGES BATTENT EN RETRAITE !..

PAR ICI, VITE !..
NE RESTONS PAS LÀ. ILS VONT REVENIR !
MES AMIS, HI ! HI ! J'AI EU LE NEZ FIN !.. VOUS N'AVIEZ PAS OUBLIÉ QUE LES PONGES NE PEUVENT PAS NOUS SENTIR, NOUS AUTRES, LES TAUPINS ? HI ! HI !..

C'EST VRAI, SLAVON. ON TE DOIT UNE SACRÉE FIÈRE CHANDELLE !.. SANS TOI, ON Y RESTAIT...
JUSTEMENT. RACONTE-MOI L'OMBRÂGE... COMMENT DIABLE VOUS EN ÊTES-VOUS SORTIS INTACTS ?..

JE... J'EN SAIS RIEN ENCORE...
PEUT-ÊTRE QUE LA MAGIE QUI LE PROTÈGE FONCTIONNE DANS LES DEUX SENS..?!
SLAVON... ARRÊTE DE TRAÎNASSER !.. SORTONS TOUS D'ICI AVANT QUE LES PONGES RAPPLIQUENT.

MARA... ÇA Y EST ! TU AS RÉUSSI, HA ! HA ! TU VOIS, NOUS SOMMES SAUVÉS...
MARA ?..

J... JE SUIS INFECTÉE, BRAGON... UN PONGE M'A PIQUÉE... AU COU ...
QUOI ?
?! ...

MARA ! NOON !
SLAVON, FAIS QUELQUE CHOSE VITE !..
58

IL FAUT CROIRE QUE, CETTE NUIT-LÀ, LES DIEUX BONS AVAIENT ENTENDU LES SUPPLIQUES DU JEUNE HUMAIN...
...OU BIEN LA MÉDECINE DES TAUPINS ÉTAIT-ELLE VRAIMENT SANS ÉGALE.

HA! HA! ARRÊTE DE TE RONGER LES SANGS, MON AMI, VOTRE VOYAGE SE PASSERA BIEN...
GRÂCE AUX EMPLÂTRES, TA MARA NE RISQUE PLUS RIEN...

À PROPOS, LA VIEILLE T'A PRÉPARÉ DE QUOI CALMER SES FIÈVRES.
C'EST UN BAUME!...
M... MERCI! VOUS NOUS AVEZ SAUVÉ LA VIE...

ET TOI MAINTENANT, SLAVON, QUE VAS-TU FAIRE?...
MAIS RESTER ICI... GRÂCE À TOI, JE N'AI PLUS DE DETTES... HI!.. HI!..

ET AVEC CE QUE M'A DONNÉ MARA, JE PEUX DÉSORMAIS VIVRE PAISIBLEMENT PARMI LES MIENS...
AU FAIT, C'EST "ÇA" QU'ELLE ÉTAIT VENUE CHERCHER DANS L'OMBRÂGE?...

OUI. MAIS POUR TOI COMME POUR MOI, IL Y A DES CHOSES QUI NOUS DÉPASSENT...

BIEN APRÈS, AUX CURIEUX QUI VOULAIENT SAVOIR COMMENT UN ROTURIER ET UNE PRINCESSE AVAIENT PU ARRACHER SON SECRET À L'OMBRÂGE...
...SLAVON RÉPONDAIT AVEC MALICE ...
"...ENSEMBLE!"...
59

POUR L'HEURE, BRAGON ET MARA DEVAIENT REJOINDRE AU PLUS VITE LA MARCHE DES VOILES D'ÉCUME...
AVANT QUE LA NOUVELLE DE LEUR EXPLOIT N'AIT DÉBORDÉ LES FRONTIÈRES DU PAYS DES TAUPINS...

BRAGON N'AVAIT PAS OUBLIÉ LES DÉPOUILLES DES MEMBRES DE "L'ORDRE DU SIGNE" COUCHÉES DANS LA POUSSIÈRE DE L'OMBRÂGE...

IL AVAIT CRU QUE LE SANG PRINCIER DE MARA AVAIT ÉPARGNÉ LA MORT À CELLE QU'IL AIMAIT...

...ALORS QUE SA JEUNESSE AVAIT ÉTÉ SA MEILLEURE PROTECTION...

L'ÉPREUVE QU'ELLE AVAIT TRAVERSÉE AVAIT POURTANT LAISSÉ DES TRACES...

...ENCORE INVISIBLES...

MÊME POUR BRAGON...
60

UN LOPVENT!.. PRÉVENEZ LE PRINCE...
BRAGON EST DE RETOUR AVEC LA PRINCESSE...

MARA!..
BRAGON!..

MARA... MON ENFANT... TU ES REVENUE...
PÈRE...
FRANGE!
HA HA!.. C'EST VRAI CE QU'ON DIT, MON GARÇON ?.. TU AS TERRASSÉ CETTE BRUTE D'ASPYR?

ÇA A ÉTÉ TRÈS ÉPROUVANT, PÈRE... M... MAIS J'AI RÉUSSI MA MISSION.
"IL" EST LÀ!... PRENDS-LE.
JE SUIS FIER DE TOI, MARA.
VIENS TE REPOSER MAINTENANT. TU ME RACONTERAS TOUT ÇA PLUS TARD...

UNE FOIS LA NUIT VENUE SUR LE PALAIS PRINCIER...
QUE LES DIEUX BONS GUIDENT MA MAIN ET PROTÈGENT AKBAR DES TÉNÈBRES!..
61

LES DIEUX L'AVAIENT ÉCRIT AUX TEMPS ANCIENS...

IL RENFERMAIT LEURS SECRETS ...

LEURS SORTILÈGES, LEUR MAGIE...

LE GRIMOIRE DES DIEUX !..

LA LÉGENDE DISAIT QUE NUL MORTEL N'ÉTAIT AUTORISÉ À EN DÉCHIFFRER LES RUNES...
SEULS LES PRINCES-SORCIERS POUVAIENT COURIR CE RISQUE...

...SANS Y LAISSER LA RAISON...

...OU PERDRE LA VIE...
HA! HA! SACRÉ BRAGON!..
TU ES LE MEILLEUR! ...
LE RIGE N'A QU'À BIEN SE TENIR!.. HA! HA!..
62

LE LENDEMAIN MATIN, DANS LA PAISIBLE CITÉ DES PALFANGEUX...
MA FILLE, JE ME RÉJOUIS DE VOIR TES FORCES REVENUES...
MAINTENANT, IL FAUT QUE JE TE PARLE...

JE T'ÉCOUTE, PÈRE.
TU LE SAIS, LA SECTE DE L'ORDRE DU SIGNE COMMENCE À S'ÉTENDRE UN PEU PARTOUT...

ELLE NE VA PAS TARDER À APPRENDRE QUE NOUS POSSÉDONS LE GRIMOIRE.
ELLE FERA TOUT POUR LE RÉCUPÉRER...
...OU POUR EMPÊCHER QUE SOIT RENOUVELÉ, L'ENCHANTEMENT QUI A ENFERMÉ LE DIEU MAUDIT RAMOR DANS SA CONQUE...

DANS LES ANNÉES À VENIR, AKBAR RISQUE DE SUBIR DE GRANDS CHANGEMENTS... DES ALLIANCES VONT SE CRÉER...
IL Y AURA DES TRAHISONS... DE TERRIBLES SOUFFRANCES AUSSI...

SI NOUS NE TENTONS RIEN, NOTRE MONDE VA BASCULER DANS LE CHAOS !..

MAIS AUJOURD'HUI, LE GRIMOIRE DES DIEUX EST ICI... ET LES JALOUSIES ET LES CONVOITISES VONT SE MANIFESTER...
LE PEUPLE DE LA MARCHE DES TERRES ÉCLATÉES - LES GRIS-GRELETS - DÉTIENT TOUJOURS LA CONQUE DE RAMOR, À L'ABRI, DANS SON SANCTUAIRE. HIER ENCORE, CELA NE POSAIT PAS DE PROBLÈME ENTRE LES PRINCES-SORCIERS DES SEPT MARCHES...
JE TE L'AI DÉJÀ DIT MARA : LE TEMPS VA ME MANQUER POUR DÉCHIFFRER SEUL LE GRIMOIRE...
IL VA FALLOIR CHOISIR, MON ENFANT.

QUE VEUX-TU DIRE, PÈRE ?..
JE CONNAIS TON CŒUR, JEUNE FILLE...
63

LE TENDRE - LOISEL - AOUAMRI